GUSTAVO WAYAND MEDELLA, OFM

HÁ VIDA APÓS O LUTO!

Palavras
de esperança

para quem perdeu
um ente querido

DIREÇÃO EDITORIAL:
Pe. Marcelo C. Araújo, C.Ss.R.
EDITOR:
Avelino Grassi
COORDENAÇÃO EDITORIAL:
Ana Lúcia de Castro Leite
COPIDESQUE:
Lessandra Muniz de Carvalho

REVISÃO:
Leila Cristina Dinis Fernandes
DIAGRAMAÇÃO:
Simone Godoy
CAPA:
Bruno Olivoto

**Dados Internacionais de Catalogação na Publicação (CIP)
(Câmara Brasileira do Livro, SP, Brasil)**

Medella, Gustavo Wayand
   Há vida após o luto! Palavras de esperança para quem perdeu um ente querido / Gustavo Wayand Medella. - Aparecida, SP: Editora Santuário, 2013.

   ISBN 978-85-369-0291-3

   1. Consolação 2. Luto - Aspectos religiosos 3. Morte - Aspectos religiosos 4. Perda - Aspectos religiosos 5. Vida cristã I. Título.

13-00924   CDD -248.866

Índices para catálogo sistemático:

1. Consolo para pessoas de luto: Guias de vida cristã 248.866
2. Luto: Palavras de consolo: Guias de vida cristã 248.866

A marca FSC® é a garantia de que a madeira utilizada na fabricação do papel deste livro provém de florestas que foram gerenciadas de maneira ambientalmente correta, socialmente justa e economicamente viável.

5ª impressão

Todos os direitos reservados à EDITORA SANTUÁRIO – 2017

Rua Pe. Claro Monteiro, 342 – 12570-000 – Aparecida-SP
Tel.: 12 3104-2000 – Televendas: 0800 - 16 00 04
www.editorasantuario.com.br
vendas@editorasantuario.com.br

Sumário

Apresentação – 5

Introdução – 11

1. Somos hóspedes no mundo – 13
2. A vida que Deus toma pela mão – 16
3. A lembrança que aproxima corações – 19
4. A irmã que vem a nosso encontro – 21
5. Pequenos gestos, inesquecíveis lembranças – 24
6. Sem pressa, ao ritmo do coração – 27
7. Para o grão não ficar somente grão – 29
8. Acende, apaga, acende... – 31
9. Vai, fica, deixa e leva – 34
10. Não se permita deixar de viver – 36
11. Será que há lágrimas no céu? – 39
12. A graça de confiar sem ver – 42
13. A noite é a certeza do amanhecer – 44
14. Entre "encontros e despedidas" – 46
15. O nome gravado no livro da vida – 49
16. O tempo que passa não volta – 52
17. Dar o passo do tamanho da perna – 55

18. O ensinamento das ondas do mar – 58
19. O sol continua a brilhar – 61
20. O tempo da graça: agora – 64
21. Errar é humano; perdoar é divino – 66
22. As fases da vida – 69
23. O sofrimento e suas diferentes faces – 71
24. O patrimônio que permanece – 73
24. Também na tristeza, otimista até o fim – 75
25. Duas plantas que ocupam o mesmo solo – 77
26. Ir em busca do sentido – 79
27. Um jardim bem-enfeitado – 81
28. A bênção da generosidade – 83
29. A medida do amor sem medida – 85
30. Lágrimas que lavam a alma – 87
31. Nos braços do Bom Pastor – 89
32. A arca do tesouro – 91
33. A importância de olhar para dentro de si – 93
34. O milagre invisível – 95
35. De nascimento em nascimento – 97
36. A bela lição de quem nos ama – 99
37. Fazer o bem sem olhar a quem – 102

Apresentação

A Igreja é abertura, acolhimento, proclamação de esperança, anúncio de uma novidade. Seus ministros são pessoas acolhedoras, que vibram com as alegrias que o povo de Deus experimenta e, ao mesmo tempo, postam-se em suas encruzilhadas existenciais.

Um dos momentos mais delicados da trajetória humana é aquele em que pessoalmente nos defrontamos com a proximidade de nossa morte ou a daqueles que são nossos entes queridos. Mais especialmente delicado o momento em que devemos levar ao cemitério um ente querido. Todos sofremos. Ali, inerte, está alguém que amamos ou que poderíamos ter amado melhor, está nosso benfeitor, nosso apoio, alguém que teve uma história e agora, com os olhos fechados e a tez branca, está inerte num espaço chamado de velório. A Igreja tem de se fazer presente nesse momento e ser uma presença de qualidade. Esse serviço eclesial, hoje conhecido como ministério da esperança, requer pessoas de coração delicado e atentas ao mistério do próximo. Belamente, pois, esse serviço chama-se, como dito, ministério da esperança.

Uma coisa é o ministro fazer a "encomendação" de alguém que foi sendo acompanhado por ele ao longo do tempo da doença. O ministro, sacerdote ou não, visitou o doente, levou a comunhão eucarística a ele e o instruiu sobre a força do Pão da Vida, chorou suas lágrimas e agora, no momento da encomendação, está ali como ministro da Igreja, mas sobretudo como alguém que amou a pessoa que está para ser sepultada.

Isso me faz lembrar as lágrimas de Jesus diante da sepultura de Lázaro. Há uma facilidade em se dizer palavras diferentes. Ele não diz coisas por dizer. Mas fala de sua fé dentro do contexto de um acompanhamento da doença até a chegada da irmã morte.

Tenho uma secreta inveja de sacerdotes que celebram a missa de sétimo dia de tantos membros de sua comunidade e que puderam acompanhar sempre e, de modo particular, até o momento da morte, coroamento de toda uma vida. Outra coisa é quando um fiel pede ao ministro a encomendação de alguém cuja vida ele não acompanhou. O ministro em questão, pessoa que supostamente tem sensibilidade, terá de exercer seu ministério com certo tirocínio. Ele chega, diz uma palavra de acolhida, toma o ritual, lê ou faz ler uma palavra de esperança e diz aquilo que convém dizer, aquilo que poderá "mexer" com os assistentes, para que eles possam viver digna e cristãmente esse momento tão triste da morte de um ente querido.

Como é difícil esse momento, tanto para o ministro quanto para os que acompanham o velório! Há situações as mais diversas. Seria importante que o ministro estivesse a par de uns poucos detalhes da vida de quem faleceu. Há crianças que morreram de infecção hospitalar ou vítimas de erros médicos, ou de descuidos; há pessoas atropeladas, desfiguradas; há caixões fechados apenas com partes do corpo de alguém; há às vezes uma senhora de 90 anos com poucas pessoas presentes; um político conhecido; um homem que tem não uma, mas três viúvas; uma religiosa toda simples e toda bela; há esses moços delinquentes mortos pela polícia porque estavam atacando alguém e reagiram à voz de prisão. Como é difícil, nessas horas, dizer a verdade e transmitir esperança. O ministério da esperança requer pessoas que tenham privança com a Palavra de Deus, que transpirem a fé na vida, na vida presente e na vida para além da morte.

Muitos daqueles que participam do velório de um amigo ou de um parente podem ser pessoas de profunda fé. Outros estão ali, mas devido a muitos fatores se distanciaram da prática e da Igreja. Tiveram, quem sabe, decepções com membros da Igreja, com os próprios familiares que falavam, mas não faziam. Esse momento precisa ser uma ocasião de volta ao Pastor bom, ao Deus que nos envolve com seu amor. O ministro da esperança pode ser um delicado instrumento de Deus para que a pessoa volte a ser do Senhor. Pena que, muitas vezes, os que foram tocados dificilmente poderão encontrar novamente essa pessoa que, naquela hora, lhe tinha colocado sementes de esperança no coração.

Se de um lado dizemos que o ministro da esperança precisa ter esperança, de outro dizemos também que ele necessitará ter nos lábios palavras adequadas. O pregador evocará a vida, os sonhos, a paternidade, a maternidade, os cuidados, os carinhos... trará à tona a vida e jogará a vida na Vida. Isso haverá de fazer com jeito, com delicadeza, com verdade. Não pode dizer palavras ocas, mas palavras cheias de verdade e de energia. Estas constroem, animam, levantam.

A larva vai tornar-se borboleta. Este ser humano, trabalhado pela vida, unindo-se à cruz de

Cristo, chega à plenitude da vida. Assim, como o mais belo dos filhos de Deus, Jesus, morreu e ressuscitou no alto da cruz, da mesma forma esses nossos irmãos, que tiveram parte na cruz, viverão: o prisioneiro que morreu sozinho, o menino que se contaminou com um vírus no hospital, o pai cujos pedaços foram recolhidos no terrível desastre automobilístico, a mãe que morreu suavemente aos 92 anos. O pregador, o ministro da esperança, fará ressoar na vida das pessoas as palavras da fé que ele vive. Num espaço de verdade e de silêncio, nessa delicada situação de levar um ente querido ao cemitério, Deus vem e coloca em cada pessoa uma semente de esperança.

E os temas se entrelaçam. Os que estão ali para a encomendação de um ente querido experimentam toda sorte de vivência: há um filho que chora convulsivamente porque não soube dar a seu pai ou a sua mãe uma resposta de carinho; há a mulher ou o homem despreparados, que temem a solidão da viuvez; há esse filho único que veio de longe para sepultar seu pai que vivia num retiro de idosos. Quantas dores, quantas interrogações. E, ao mesmo tempo, que beleza verdadeira nesse carinho da Igreja de se fazer presente na vida daqueles que perderam dolorosamente seus entes queridos!

Devo dizer que é com indisfarçada alegria que apresento esta publicação, que leva o sugestivo título de *Há vida após o luto! Palavras de esperança para quem perdeu um ente querido*. Tenho a satisfação de apresentar esta rica coletânea de reflexões de meu confrade e conterrâneo Frei Gustavo Wayand Medella, OFM, confrade que se mostra um homem da escrita. Que estas suas reflexões possam fazer muito por aqueles que perderam um ente querido. Que esta obra alcance todas as pessoas de pastoral que querem estar perto mormente dos que vivem a terrível experiência da perda de um ente querido.

O estilo simples e direto, a fala cheia de humanidade e o tom de esperança fazem deste livro uma obra destinada a fazer o bem, porque semeia esperança. Atentem para aquilo que meu estimado confrade coloca na "Introdução": ele abraça a todos, ele se faz presente na vida de seus leitores como ele se fez presente junto aos que acompanhou durante seu ministério na cidade de Petrópolis. No velório e na vida, por vezes, o carinho vale mais do que insossos e inoportunos discursos.

Frei Almir Ribeiro Guimarães, OFM

Introdução

Quando cheguei a Petrópolis (RJ) para iniciar os estudos em teologia, já sabia que uma das funções dos frades era atuar no ministério da esperança, ou seja, ir celebrar junto às famílias a partida de um ente querido. O que não imaginava era que a participação nesse serviço fosse mexer tanto comigo. Aprendi muito.

Percebi que quem sofre a perda de alguém amado precisa é de abraço, de alguém que lhe diga mais por gestos do que por palavras: "Sei que seu sofrimento é imenso e por isso estou aqui. Sou solidário a você e lhe entrego sem reservas o meu coração".

Depois de cada celebração, voltava para casa sentindo um misto de emoção e angústia, e também nutrindo uma forte esperança de que a vida vai para além dos limites que conhecemos. Meditando sobre esses mistérios, resolvi escrever as linhas que seguem. Não pretendo, de forma alguma, oferecer respostas a essas questões tão insondáveis. O que desejo é, à luz da fé, partilhar com você algumas reflexões que trago no coração.

Para auxiliar nesse exercício, procuro recorrer a trechos da Sagrada Escritura e também a obras inspiradas de poetas, músicos, pensadores. Tento buscar nessas grandes intuições luzes que possam iluminar nosso caminho nesse árduo momento de travessia. As palavras que você tem pela frente são, portanto, extensão do abraço ao qual me referi no início desta introdução. Por isso é que digo: "Sinta-se fortemente abraçado, tenha fé e boa leitura!"

Frei Gustavo Wayand Medella, OFM

1. Somos Hóspedes no Mundo

Esta vida é uma estranha hospedaria. de onde
se parte quase sempre às tontas, pois nunca as nossas
malas estão prontas,e a nossa conta
nunca está em dia.
(Mário Quintana)

O poeta tem o dom de descrever, em poucas linhas, experiências que poderiam demandar muitas páginas de reflexão. Na vida, de fato, todos somos hóspedes, estamos de passagem. Somos passageiros, finitos e transitórios, e sabemos que, assim como chegamos, um dia inevitavelmente vamos partir.

A chegada geralmente não apresenta grandes dificuldades. Ao contrário, costuma ser motivo de alegria. Uma nova vida veio ao mundo! Viva à vida! Chegamos, somos recebidos, acolhidos, amados. Começamos a caminhar, tropeçamos, caímos, levantamos, e esse movimento, por mais experiência que tenhamos, sempre nos acompanha, a vida toda.

A partida, por sua vez, sempre parece ser mais complicada. Por mais que saibamos que ela é inevitável, parece que sempre teima em vir de surpresa. Aí já sabemos o que acontece: tanto para quem fica quanto para quem vai, permanece uma espécie de "gostinho de quero mais". A matemática, nesse caso, não tem muito peso: 15, 20, 50, 60, 90 anos, sempre parece pouco! A impressão que se tem é a mesma descrita pelo poeta: "nunca as nossas malas estão prontas, e a nossa conta nunca está em dia". Quem parte deixa para trás relações, trabalhos, sonhos e projetos, uma infinidade de tarefas "por cumprir".

De fato, a convivência cria laços muito estreitos e consistentes, que, quando rompidos, causam extrema dor. Muitas interrogações aparecem, entre elas: "Por que tenho que deixar de conviver com essa pessoa, a quem tanto aprendi a amar?" De fato, trata-se de uma grande inquietação. Por outro lado, quem se faz essa pergunta deve também se atentar para o seguinte: se essa pessoa que partiu deixou tanta saudade e foi capaz de conquistar seu amor, significa que ela soube aproveitar bem o tempo em que esteve na "hospedaria".

Também não podemos esquecer do alento da fé. Se somos hóspedes aqui, em Deus temos nosso lugar cativo. E, pela fé em Jesus Cristo, esperamos reencontrar-nos na glória da eternidade. Para quem já deixou essa "hospedaria", a realidade agora é outra: não há mais malas, não há mais contas. Para nós, que ficamos, há a possibilidade de aproveitar bem a hospedagem e investir nosso tempo, energia e disposição em atitudes que valham a pena: a prática do bem pelo amor, a luta pela justiça e a construção de relações íntimas, profundas e solidárias com nossos semelhantes.

2. A Vida que Deus toma pela Mão

A vida dos justos, ao contrário, está nas mãos de Deus, e nenhum tormento os atingirá.
(Sabedoria 3,1)

O livro Sabedoria é composto por uma série de reflexões que tratam das diferentes situações da vida, mais ou menos agradáveis. "A vida dos justos [...] está nas mãos de Deus" é uma constatação do autor, que aborda a última passagem do ser humano, peregrino e viajante por natureza. É a passagem desta vida para a vida eterna.

A justiça é um bem divino, e o ser humano que pauta sua vida na busca e no cultivo dela aproxima-se cada vez mais de Deus. Não é à toa que no livro de Jeremias Deus aparece designado como "Senhor, nossa justiça" (Jr 23,6). Na história da salvação, muitos foram denominados justos, todos aqueles que souberam conduzir suas vidas nos caminhos do Senhor. No Novo Testamento, aparece, por exemplo, o justo José, pai adotivo de Jesus, que se lançou de corpo e alma como colaborador efetivo do projeto de Deus.

Quem vive justamente, parte como justo e é acolhido com amor pelo Senhor. Importante é lembrar que viver retamente não significa passar pela existência sem cometer erros. Os tropeços e enganos fazem parte da história humana. Mais importante do que evitá-los a qualquer preço, às vezes às custas de um escrúpulo paralisante, é cultivar, cada um em si, um autorreconhecimento das próprias limitações e, apesar delas, seguir em frente, com confiança na misericórdia de Deus. E o justo sabe bem disso.

Para você, que sente no fundo do coração a falta da pessoa amada que se foi, transcrevo este reconfortante trecho. Que você possa sentir no coração o poder medicinal e curativo da Palavra de Deus. Fique em paz!

> A vida dos justos, ao contrário, está nas mãos de Deus, e nenhum tormento os atingirá. Aos olhos dos insensatos, aqueles pareciam ter morrido, e seu fim foi considerado como desgraça. Os insensatos pensavam que a partida dos justos do nosso meio era um aniquilamento, mas agora estão na paz. As pessoas pensavam que os justos estavam cumprindo uma pena, mas esperavam a imortalidade. Por

uma breve pena receberão grandes benefícios, porque Deus os provou e os encontrou dignos dele. Deus examinou-os como ouro no crisol, e os aceitou como holocausto perfeito. No dia do julgamento, eles resplenderão como fagulhas no meio da palha. Eles governarão as nações, submeterão os povos, e o Senhor reinará para sempre sobre eles. Os que nele confiam compreenderão a verdade, e os que lhe são fiéis viverão junto dele, no amor, pois a graça e a misericórdia estão reservadas para seus escolhidos (Sb 3,1-9).

3. A Lembrança que aproxima Corações

*E quem voou, no pensamento ficou
com a lembrança que o outro cantou.*
(Milton Nascimento)

Um dos momentos mais difíceis para uma família é o da perda de um ente querido. Trata-se de uma situação que não tem retorno. É como se houvesse um decreto determinando que aquela pessoa amada nunca mais será vista. Ninguém mais pode conversar com ela, estar perto dela ou até mesmo brigar com ela. Agora resta a saudade.

Sem dúvida é uma grande dor, um sofrimento cortante. Nessa hora as dúvidas e perguntas surgem como o sol no amanhecer da primavera e as respostas e certezas ficam obscurecidas pelas nuvens cinzentas do inverno da tristeza.

Para os cristãos, a morte não é o fim da existência, mas uma passagem para a vida plena e feliz. A fé é uma importante aliada nesse momento de intensa dificuldade. Da pessoa querida ficam as lembranças. O coração humano é uma arca de tesouros, e entre os artigos mais valiosos que ele carrega estão as boas recordações que a pessoa guarda de seus entes queridos que já se foram.

A morte é realmente um mistério. É uma das certezas que todos temos; mas mesmo assim não é fácil lidar com ela.

No caso da partida, a melhor homenagem que você pode fazer àquela pessoa que você tanto amava é continuar vivendo de cabeça erguida. E, se abrimos esta reflexão com um trecho da belíssima *Canção da América,* terminamos também com ela, em uma exaltação da grande esperança de reencontro com aqueles a quem amamos.

> Pois seja o que vier, venha o que vier
> Qualquer dia, amigo, eu volto
> A te encontrar
> Qualquer dia, amigo, a gente vai se encontrar.

Meus votos de coragem e força a você e a toda a sua família!

4. A Irmã que vem a nosso Encontro

*Louvado sejas, meu Senhor,
por nossa irmã a morte corporal,
Da qual homem algum pode escapar.
[...]
Felizes os que ela achar
conformes à tua santíssima vontade,
porque a morte segunda não lhes fará mal!*
(São Francisco de Assis)

Pouco antes de concluir sua passagem, por volta do ano 1226, São Francisco pediu a seus confrades que o despissem e que o colocassem nu sobre a terra. Era o coroamento de uma experiência profunda de Deus, o Deus da vida. Em Cristo, Francisco conseguiu enxergar a beleza e a grandiosidade do amor do Pai e, por isso, transformou sua vida em um perene louvor a Deus, pautado por profundo amor e respeito por todos os seres humanos e pelos bens da criação.

Francisco já partiu há quase 800 anos, mas sua experiência apaixonante e apaixonada continua a inspirar milhões de homens e mulheres em todo o mundo. O Santo de Assis, descobrindo-se profundamente amado por Deus, o Sumo Bem, Único e Verdadeiro Bem, conseguiu transmitir esse amor para além das fronteiras de seu tempo e de seu espaço. Foi modelo de vida até o fim. Francisco bem sabia que tudo aquilo era e havia sido recebido como dom gratuito, por isso não queria tomar posse de nada, nem das coisas, nem da natureza, nem da pessoa. Soube viver em profunda gratuidade e, assim, apesar de todos os sofrimentos (físicos, inclusive), conseguiu ser uma pessoa realizada e feliz.

Quando chegou sua hora, Francisco encheu seu coração de esperança e conseguiu chamar a morte de "novo nascimento". Não se trata de um fim, mas de uma transformação, do ingresso em uma nova maneira de existir. O trecho que abre esta reflexão faz parte do *Cântico das criaturas*, um belíssimo poema que São Francisco compôs em louvor e gratidão a Deus por todos os benefícios que Ele realizou (e realiza) na criação.

Nós podemos aprender muito de Francisco de Assis. Podemos com ele chegar à conclusão de que nossa vida não nos pertence, assim como a vida daqueles que conosco convivem. Tudo é dom, presente de Deus. No momento da partida de alguém que amamos, essa recordação é muito salutar. Mesmo sofrendo com a angústia da separação, podemos olhar para o céu e, ainda que a voz esteja embargada, dizer: "Muito obrigado, meu Deus, por ter me concedido este presente, a convivência com essa pessoa maravilhosa, a quem aprendi a amar de todo o coração e que agora se encontra junto de vós, na eternidade".

5. Pequenos Gestos, Inesquecíveis Lembranças

O essencial é invisível aos olhos.
(Saint-Exupéry)

A célebre frase da obra *O Pequeno Príncipe* sempre me vem à mente quando penso sobre o sentido da vida. E cada vez mais me convenço de que se trata de uma afirmação cheia de verdade e conteúdo. Quando uma pessoa querida se vai, podemos perceber mais de perto ainda a propriedade dessa sentença.

Uma coisa é certa: invisível ou não, o essencial da vida se encontra em momentos e experiências muito sutis, às vezes quase insignificantes à primeira vista. Um acontecimento pequeno, porém intenso, veio me confirmar essa ideia.

Fui chamado, em uma manhã fria de sábado, para dirigir a cerimônia de exéquias de uma senhora que havia falecido na madrugada daquele mesmo dia. Quem veio me buscar foi o filho único da falecida, que morava em outro estado e veio para o enterro da mãe. A senhora sofria de problemas mentais e por isso já estava há tempo internada em um sanatório.

Além de mim, do filho e da nora da falecida, estava na sala do velório apenas mais uma pessoa: uma mulher de meia-idade, que aparentava uns 50 e poucos anos. Rezamos normalmente. No momento das preces, quando dirigimos os pedidos e agradecimentos a Deus, pedi aos presentes que fizessem sua oração pessoal e silenciosa e que, caso quisessem dizer algo, a palavra estava aberta. O filho e a nora preferiram rezar em silêncio. A outra mulher, no entanto, muito emocionada, decidiu falar:

> Nunca vou me esquecer. Já faz mais de 20 anos. Eu e esta senhora éramos vizinhas. Ela morava sozinha e eu também, pois meu marido me deixou logo depois que engravidei. Precisei trabalhar fora e recebi licença quando minha filha estava prestes a nascer. A menina nasceu e eu pude cuidar dela nos primeiros meses, mas logo minha licença-maternidade venceu. Senti até um pouco de desespero, pois não tinha com quem deixar minha menina. Percebendo meu drama, esta senhora que agora está aqui na nossa frente se prontificou a cuidar de minha filha. Eu levantava cedo, colocava leite materno na mamadeira e entregava a menina a ela. Podia ficar despreocupa-

da. Quando voltava do serviço, passava pela casa dela e a menina estava lá, esperando-me junto com minha vizinha. Essa situação se prolongou por alguns meses, até que eu consegui arrumar uma babá. Nunca mais vou me esquecer disso. Na hora em que mais precisei, foi esta mulher quem me socorreu.

Depois de ouvir a mulher atentamente, dei prosseguimento à cerimônia, com os olhos marejados e o coração pequeno e apertado.

6. Sem Pressa, ao Ritmo do Coração

> *Ando devagar porque já tive pressa,*
> *e levo esse sorriso porque já chorei demais.*
> *Hoje me sinto mais forte, mais feliz, quem*
> *sabe, só levo a certeza de que muito*
> *pouco eu sei, ou nada sei.*
> (Almir Sater)

A correria da vida obriga as pessoas a imprimir um ritmo acelerado em seu dia a dia. Desde cedo o trabalhador já acorda correndo. Engole um pedaço de pão dormido e vai pegar o ônibus, que não espera os atrasados. Essa correria se estende até o fim do expediente. Na hora do almoço, mal e mal tem alguns minutos para fazer um lanche rápido, com cachorro-quente de vendedor ambulante ou alguma coisa parecida. A pressa é total.

Nesse contexto, o trecho da música *Tocando em frente*, do cantor e compositor Almir Sater, pode ajudar-nos a refletir. Ele fala da paciência, da perseverança diante dos obstáculos, da humildade. São qualidades que a pessoa vai adquirindo à medida que se torna mais madura. Maturidade, nesse caso, não se relaciona necessariamente com tempo de vida. Cada um tem seu ritmo, marcado de acordo com as experiências vividas. O importante é que ninguém fique parado nesse processo de crescimento humano. Todo mundo tem sempre algo novo para descobrir. Afinal, à medida que caminha, quanto mais a pessoa aprende, mais ela tem consciência de que muito pouco sabe ou nada sabe.

Na intermitência entre choro e sorriso, a vida acontece, entre perdas e ganhos. Quando alguém que amamos se vai, perdemos sua presença física e sua proximidade corporal. No entanto, ela continua viva em nossa lembrança, nas recordações que guardamos. Agora sua presença independe do tempo e do espaço, pois a pessoa amada habita em nossa memória, em nosso coração.

Um ente querido seu se foi, é verdade, e isso lhe traz saudade. Mas procure entender o seguinte: "A melhor e mais bonita homenagem que você pode prestar a essa pessoa que você tanto amava é seguir a vida com garra e coragem; apesar da saudade, seguir *tocando em frente*".

7. Para o Grão não ficar somente Grão

*Se o grão de trigo, caído na terra,
não morrer, fica só; se morrer, produz muito fruto.*
(João 12,24)

Nesse trecho do Evangelho de João, Jesus Cristo usa a metáfora do grão de trigo para falar de si mesmo. Ele queria dessa forma mostrar que sua morte, ainda que sofrida e injusta, seria fonte de vida para o mundo. E a principal garantia de Cristo era sua total fidelidade ao projeto do Reino de Deus. Ele foi fiel até o fim.

A dinâmica do grão de trigo também pode ser aplicada a toda vida humana. Todos os dias, mesmo sem perceber, agimos da mesma forma que o grão de trigo: morremos para gerar frutos. Todo sacrifício que fazemos em benefício do próximo não deixa de ser uma pequena morte, mas é a morte que gera vida.

Bom exemplo é o da mãe que, de madrugada, se levanta para acudir seu bebê que está chorando. Naquele momento ela morreu para seu sono, para sua preguiça, para a vontade de ficar dormindo. Foi capaz de sacrificar-se porque alguém que ela ama está precisando de seu socorro. Outra situação de "morte para si mesmo" é o casamento: mais uma vez se morre para gerar vida. Marido e mulher precisam transformar-se mutuamente, um se adequando ao outro. Caminhando dessa forma são capazes de construir uma união feliz.

Como vimos, a vida é um constante morrer, mas essa constatação não quer trazer medo ou tristeza a ninguém. Ela pretende apenas recordar que vida e morte caminham de mãos dadas, uma gerando a outra.

Mesmo com toda dor e saudade, procure lançar este olhar de esperança sobre a partida de seu ente querido. Sempre que a tristeza vier, pegue a Bíblia e leia mais uma vez a palavra em que Jesus diz a você para oferecer conforto a seu coração: "Se o grão de trigo, caído na terra, não morrer, fica só; se morrer, produz muito fruto" (Jo 12,24).

8. Acende, Apaga, Acende...

A vida, senhor Visconde, é um pisca-pisca.
(Monteiro Lobato)

Essa é a definição de vida da boneca de pano Emília, personagem do célebre *Sítio do Picapau Amarelo*, de Monteiro Lobato. Ela se dirige ao Viscode de Sabugosa, também um boneco, este fabricado com um sabugo de milho. O tema do diálogo é a existência humana. A conversa segue, e a boneca prossegue sua argumentação:

> A gente nasce, isto é, começa a piscar. Quem para de piscar chegou ao fim, morreu. Piscar é abrir e fechar os olhos – viver é isso. É um dorme e acorda, dorme e acorda, até que dorme e não acorda mais [...]. A vida das gentes neste mundo, senhor Sabugo, é isso. Um rosário de piscadas. Cada pisco é um dia. Pisca e mama; pisca e anda; pisca e brinca; pisca e estuda; pisca e ama; pisca e cria filhos; pisca e geme os reumatismos; por fim pisca pela última vez e morre.

– E depois que morre? – perguntou o Visconde.

– Depois que morre, vira hipótese. É ou não é?[1]

De fato, a esperta boneca de pano lança mão de uma linguagem simples e acessível para descrever o grande mistério da vida humana. Muitas interpretações são possíveis diante da imagem proposta. Uma delas apontaria para a brevidade da vida: tudo passa num piscar de olhos.

Todo ser humano que vem ao mundo, ou que começa a piscar, aprende que a bateria de seu pisca-pisca não dura para sempre. Essa certeza pode gerar muita angústia e medo, mas, por outro lado, dá à pessoa a real dimensão de sua existência terrena: finita, mas maravilhosa, com inúmeras possibilidades para ir além de si mesma. Essas possibilidades vão se mostrando no decorrer das piscadas: "pisca e ama, pisca e faz o bem, pisca e se esforça para compreender as dificuldades dos semelhantes etc.". À medida que as piscadas vão sendo acompanhadas de ações como essas, marcadas pela solidariedade e pelo amor a Deus e ao próximo, a pessoa vai encontrando-se cada vez

---

[1] Lobato, Monteiro. *Memórias de Emília*. Rio de Janeiro: Editora Globo, 2009.

mais consigo mesma e com o profundo sentido da própria existência.

Quem consegue piscar nesse ritmo aos poucos, vai perdendo o medo do dia de apagar, porque sabe estar inserida em um projeto que transcende as barreiras do espaço e do tempo. E quem convive com pessoas desse tipo vai, aos poucos, percebendo que, mesmo depois de apagarem, elas continuam presentes, piscando nas boas lembranças e iluminando os passos de quem permanece neste maravilhoso jogo de acende-apaga que é a vida.

9. Vai, Fica, Deixa e Leva

*Quem parte leva saudade de alguém
que fica chorando de dor!*
(Emilinha Borba)

"Adeus", "tchau", "até logo", "até breve"! Essas são algumas expressões de despedida, nem sempre pronunciadas tão facilmente. Muitas vezes as palavras saem embargas, dando a impressão de que aquela lágrima que se esvai pelos olhos era o que estava trancando a garganta. Por que sentimos tanta falta das pessoas?

Toda partida é ruptura e deixa dor, que pode ser mais intensa ou mais leve, de acordo com as circunstâncias. No caso da partida de um ente querido para a eternidade, quase invariavelmente a dor é intensa. "E por que dói tanto?", é uma pergunta que pode ser feita. Dói porque quem vai leva consigo um pedaço de quem fica. Essa é a dor. É a dor da saudade, da despedida e da perda – a perda de um pedaço de si.

Não se pode esquecer, no entanto, de que a pessoa que se foi também deixa um pedaço dela com quem fica. Deixa uma boa porção de carinho, generosidade, proximidade, lembranças agradáveis. E essa porção que fica da pessoa que se foi é, sem dúvida, um dos remédios que vai atenuar a doída dor da perda.

Esse jogo de "leva-deixa" ocorre porque a vida se constrói a partir de relações. As histórias se entrelaçam e dão origem a um composto que, no caso da química, receberia o nome de "mistura homogênea", na qual os componentes não podem mais ser distinguidos.

Mesmo deixando dor e saudade no momento da partida, essa experiência de construir relações é cheia de sentido. Pois só passando por ela podemos olhar para trás e dizer: "Valeu a pena! Como foi bom! Louvado seja Deus por ter me dado o presente de partilhar minha vida com alguém tão especial!" E, cheios de esperança cristã, apostar: "Um dia nos encontraremos e por isso nossa despedida não é um 'adeus definitivo', mas um 'até logo' confiante no reencontro".

10. Não se Permita deixar de Viver

Um dia... Pronto!...
Me acabo. Pois seja o que tem de ser.
Morrer, que me importa?... O diabo é deixar de viver!
(Mário Quintana)

Esse poema do genial Mário Quintana é um verdadeiro "bálsamo de saberdoria" concentrado em pouquíssimas palavras. Morrer e deixar de viver são duas coisas completamente distintas. Qualquer pessoa pode deixar de viver ainda em vida ou, então, continuar vivendo mesmo depois de partir.

A consideração do poeta nos lança para além do limite da vida física. Ele nos coloca na dimensão do transcendente, daquilo que ultrapassa o imediato, o palpável e o racional. O ser humano foi criado para ir além da mera sustentação de sua máquina física. É um ser de sonhos, relações, projetos e sentimentos.

Deixar de viver ainda em vida significa deixar-se abater pelo desânimo, perder a paixão pela vida. É verdade que as pessoas que entram nessa situação de "morte em vida" não estão ali por vontade própria. Muitos fatores (perdas, desilusões, frustrações, doenças) podem ter sido causadores desse quadro. No entanto, também é certo que somente a própria pessoa que passa por esse tipo de situação tem o poder de sair dela. Os amigos e parentes podem até ajudar, mas, em última instância, a pessoa é a principal responsável por sua recuperação.

A outra situação é a de quem parte, mas permanece vivo. É o caso de quem procura viver com intensidade e permanece vivendo por meio do amor que conseguiu dar e receber, do bem praticado e das boas lembranças deixadas no coração de todos aqueles com quem conviveu.

Diante da misericórdia e do amor de Deus, você, que perdeu recentemente um ente querido, pode rezar com palavras semelhantes a estas: "Pai do céu, alguém a quem amo muito partiu, mas essa pessoa permanece viva em meu coração. Com muita confiança vos peço, guardai-me, ó Deus, em vosso infinito amor e dai-me a graça de viver com intensidade todos os momentos da vida que vós me destes como dom de vossa infinita bondade. Senhor, apesar de todas as dificuldades e problemas, diante de vós reafirmo meu propósito: Não vou e não quero desanimar de viver. Amém".

11. Será que há Lágrimas no Céu?

*Eu tenho certeza
E sei que não haverá mais lágrimas no céu.*[1]
(Eric Clapton)

Esses são os últimos versos da canção *Tears in heaven* (Lágrimas no céu), do cantor e compositor britânico Eric Clapton. Ele a teria escrito após um grave acidente que ceifou a vida de seu filho, Conor Clapton, então com quatro anos, em 1991. O menino caiu da janela de um prédio altíssimo em Nova York.

A partida precoce do menino inspirou Clapton a compor *Tears in Heaven*, o que ajudou o compositor a lidar com a dor da perda. A publicação da música não foi planejada, mas ocorreu mesmo assim, e ela se transformou em

---

[1] "I'm sure / and I know there'll be no more / tears in heaven."

um sucesso conhecido em diferentes partes do mundo.

É uma espécie de diálogo de Clapton com o filho e também uma série de perguntas que o autor lança na esperança de um dia contemplar o céu. Certamente a arte é importante aliada nesses momentos de separação. Ela ajuda a pessoa a dar um passo além, descobrir-se ligada a algo maior do que ela, a Deus. E a dimensão desse Deus infinito, que abraça toda a criação, faz a pessoa perceber-se parte de uma obra maravilhosa, integrada com todos os seres humanos, inclusive aqueles que já partiram, e com toda a criação.

No caso de Clapton, cantar a partida do filho (uma das dores que mais castiga qualquer ser humano) foi a forma de ele se perceber ligado ao menino mesmo depois do ocorrido. A versão em português que apresentamos é uma tradução livre. Esperamos, com este texto, tornar mais intensa e brilhante a chama de esperança que ainda arde em seu coração, mesmo depois de ter passado por momentos tão difíceis.

> Você saberia meu nome
> se eu o visse no céu?
> Você seria o mesmo,
> se eu o visse no céu?

Eu tenho que ser forte,
e seguir em frente
porque eu sei que não pertenço ao céu.

Você apertaria minha mão se eu o visse
no céu?
Você me ajudaria a levantar se eu o visse
no céu?
Encontrarei meu caminho
atravessando noite e dia,
porque eu sei que não posso ficar no céu.
O tempo pode trazer você para baixo.
O tempo pode fazer você dobrar os joelhos.

O tempo pode partir seu coração,
fazer você implorar por favor,
implorar por favor.

Atrás da porta há paz.
Eu tenho certeza
e sei que não haverá mais
lágrimas no céu.

12. A Graça de Confiar sem Ver

Os olhos jamais contemplaram,
ninguém sabe explicar, o que Deus tem preparado
àquele que em vida o amar.
(Ir. Miria T. Kolling)

A construção da felicidade eterna junto de Deus começa desde o nascimento da pessoa, pois a vida de cada ser humano é um presente, dom gratuito do amor de Deus. Vir ao mundo, nascer, não é uma escolha pessoal e consciente, mas um convite que vem do alto, do Criador, do Divino Mistério. Quem se percebe chamado à vida, sente-se amado por Deus e, por isso, faz de sua vida um ato de gratidão e louvor.

As dores, os problemas, as contradições e os sofrimentos que aparecem no decorrer da existência podem até abafar um pouco a chama desse amor, mas jamais conseguirão apagá-la. Mesmo que reste uma pequeníssima brasa, um mínimo fio de esperança, Deus pode, a partir daquela ínfima fagulha, reacender no coração de cada filho(a) a chama viva do amor.

E o amor de Deus tem seus desdobramentos na história humana. Quem se sente amado por Deus faz questão de retribuir esse amor, e o faz amando seus semelhantes, na prática do bem, na luta pela justiça, no socorro aos necessitados. Uma vida assim se enche de esperança e, de fato, constrói-se sob a proteção e os olhos de Deus, alcançando a eternidade. E a intensidade da vida não se mede, então, pela quantidade de anos vividos. Muito ou pouco tempo, de qualquer forma, é uma bênção.

Não significa, no entanto, que quem se decide a trilhar esse caminho do amor esteja livre de erros e enganos ou se torne uma pessoa perfeita, sem falhas. As limitações são próprias da natureza humana e viver o amor significa também reconhecê-las e trabalhar firme para superá-las. A principal força para se conseguir essa superação é a confiança na misericórdia divina: todos os dias lembrar-se de que o amor de Deus é incondicional, é o amor do Pai expresso na parábola do filho pródigo.

Mesmo que o filho caia, tropece, engane-se, machuque-se, o Pai está lá, sempre de braços abertos para recebê-lo novamente em seu coração amoroso. Essa é a grande fonte de esperança baseada na fé, a certeza de que todos fomos criados para construir o amor, aquele que jamais morrerá.

13. A Noite é a Certeza do Amanhecer

No deserto acontece a aurora.
(Jorge Luís Borges)

Na espiritualidade e na mística se usa muito a figura do deserto. É o lugar da secura, da sede, da falta, da carência, da solidão, do silêncio, das dificuldades. Trata-se do espaço onde a pessoa se encontra sozinha com ela mesma. Olha-se para os quatro cantos e... nada. Só areia ao redor. O que lhe resta é caminhar, mesmo que não haja muitas certezas ou garantias.

Embora seja um momento de extrema dificuldade, a travessia do deserto geralmente é um período de grande crescimento para a pessoa. No silêncio da solidão, o coração e os ouvidos ficam mais atentos para escutar as mais íntimas vozes do próprio coração, lá onde Deus se manifesta. Ali talvez seja o espaço íntimo de encontro do ser humano consigo mesmo e com a divindade, sem máscaras e ilusões: a pessoa tal como ela é: com todas as suas maravilhas, mas também com sua fragilidade e limitação. Faz lembrar aquela instrução de Jesus: "Tu, porém, quando rezares, entra no teu quarto, fecha a porta e ora a teu Pai em segredo; e teu Pai, que vê o que está oculto, te dará a recompensa" (Mt 6,6). Esse quarto pode ser um lugar físico, mas também é o coração humano, é o deserto a ser atravessado.

Conforme foi dito, o deserto é uma figura de linguagem, um estado de espírito, e não necessariamente um lugar geográfico. Com certeza você já passou (ou talvez esteja passando) por um momento de deserto.

São aquelas ocasiões nas quais parece mais difícil viver: durante as grandes perdas, angústias e indecisões. A viuvez, a orfandade – a partida de um ente querido –, o desemprego, as traições ou até mesmo as dúvidas próprias da condição humana. A única certeza que você tem é a de que continuar vivendo se faz necessário. Tenha certeza de que essa travessia vai fazer de você um ser humano melhor, mais maduro. Não abaixe a cabeça diante do deserto que se apresenta à sua frente. Tenha firmeza, calma, coragem e, principalmente, esperança. E lembre-se sempre: caminhar é preciso.

14. Entre "Encontros e Despedidas"

Mande notícias do mundo de lá
Diz quem fica
Me dê um abraço venha me apertar
Tô chegando
(Milton Nascimento e Fernando Brant)

A música *Encontros e Despedidas* narra o vai e vem de uma estação de trem. É um lugar ultramovimentado, onde todos os dias entra e sai um grande número de pessoas. Nessa estação, as histórias são as mais variadas possíveis. Há chegadas, saídas, despedidas, encontros, surpresas, reencontros, alegrias, tristezas. Há abraços calorosos, confidências, declarações, desabafos, conversas ao pé do ouvido, choro disfarçado, lágrima engolida.

No ritmo da melodia, o movimento da estação é descrito:

Todos os dias é um vai e vem
A vida se repete na estação

Tem gente que chega pra ficar
Tem gente que vai pra nunca mais
Tem gente que vem e quer voltar
Tem gente que vai e quer ficar
Tem gente que veio só olhar
Tem gente a sorrir e a chorar.

Estação é como ponte: lugar de passagem, onde ninguém fica instalado em definitivo. E se percebe que, nesse transitar, as atitudes variam de acordo com a pessoa. Há alguns que têm bem definido para onde querem seguir. Outros, preferem ser conduzidos e não fazem muita conta. Comportam-se mais ou menos conforme descreve a música *Deixa a vida me levar*, do sambista Zeca Pagodinho. Há os que vão e não voltam, os que preferem ficar só olhando; enfim, cada um se comporta de uma maneira. Fato é que nem sempre os transeuntes se movimentam por livre e espontânea vontade. Muitas vezes o deslocamento pela estação é fruto da necessidade, da urgência das circunstâncias.

A música segue, falando da viagem e do trem:

É assim chegar e partir
São só dois lados
Da mesma viagem
O trem que chega
É o mesmo trem da partida
A hora do encontro
É também a despedida.

Os recém-chegados na estação nem sempre têm consciência, mas, conforme o tempo passa, vão percebendo que a hora do encontro é também de despedida, ou seja, a certeza da chegada pressupõe necessariamente a garantida da partida. Quem chega, é certo que irá partir. Como e quando ninguém sabe.

Pela descrição você deve estar conseguindo identificar essa estação. De qualquer forma, só para garantir, os próprios autores da música dão a resposta:

> A plataforma dessa estação
> É a vida desse meu lugar
> É a vida desse meu lugar
> É a vida.

Nesses *encontros* e *despedidas* que a vida nos propõe (e muitas vezes impõe), quanto mais consciência conseguimos ter de que estamos de passagem, melhores condições teremos para lidar com todos os desafios próprios dessa fascinante viagem da qual participamos.

15. O Nome Gravado no Livro da Vida

*Quem fica na memória de
alguém não morre.*
(Betinho)

A vida humana é como um livro com as páginas em branco, no qual a pessoa vai escrevendo dia após dia. Os acontecimentos, os encontros e desencontros, o bem que se faz, tudo devidamente registrado. No início, a escrita é meio desajeitada. A pessoa pula páginas, faz letras grandes demais, ou pequenas, nem sempre consegue acertar as linhas e as margens. Com o passar do tempo, vai ficando mais experiente. E a própria experiência mostra a você que, em alguns casos, é melhor escrever no livro à caneta. Em outros momentos, o lápis é mais indicado.

Com a caneta, devem ser escritos os nomes dos amigos, as boas lições que se aprendeu, os grandes momentos da vida. Para o pai ou a mãe, o dia do nascimento dos filhos, por exemplo. Também é interessante registrar todo o bem realizado e recebido, seja por meio de uma palavra amiga ou de um socorro prestado na hora de dificuldade. As boas lembranças de seu ente querido que partiu, estas você pode anotar com canetas coloridas e sublinhar com destaque: guardá-las com carinho.

Com o lápis, você deve marcar as decepções, mágoas, desentendimentos e tudo aquilo que fez você sofrer. Na primeira oportunidade, procure passar uma borracha sobre esses acontecimentos e apagá-los, na certeza de que eles fazem parte da vida, mas não precisam ser remoídos o tempo inteiro. Depois de superados, podem e devem ser esquecidos.

A esse respeito, existe uma lenda árabe muito ilustrativa.

> Dois amigos viajavam pelo deserto e em um dado momento discutiram, e um deles deu uma bofetada no outro. Este, ofendido e sem nada dizer, escreveu na areia: "Hoje, meu melhor amigo deu-me uma bofetada na cara".
>
> Os dois continuaram a viagem e chegaram a um oásis, onde resolveram se banhar. O que tinha sido esbofeteado começou a afogar-se, tendo sido salvo pelo outro.

Depois de recuperado, pegou num cinzel e gravou em uma pedra: "Hoje, meu melhor amigo salvou-me a vida".

Intrigado, o amigo perguntou-lhe:

– Por que é que quando te ofendi escreveste na areia e agora escreveste numa pedra?

Sorrindo, o outro respondeu:

– Quando um grande amigo nos ofende, devemos escrever na areia, para que o vento do esquecimento e o perdão se encarreguem de apagar. Por outro lado, quando nos acontece algo de grandioso, devemos gravá-lo na memória do coração, onde nenhum vento do mundo poderá apagar.

Basta um minuto para que fixes uma pessoa, uma hora para gostares dela e um dia para a amares. Mas é necessária uma vida para a esqueceres.

Procure escrever com capricho o livro de sua vida. Com certeza ele será uma bela obra, capaz de dar muita alegria a você e a todos aqueles que fizeram parte de sua história.

16. O Tempo que Passa não Volta

*Do ponto de vista da juventude, a vida
é um futuro infinitamente longo; do da velhice,
é um passado bastante breve.*
(Arthur Schopenhauer)

Imagine se você tivesse uma conta bancária em que fosse depositada uma enorme quantidade de dinheiro todo dia para que você usasse como melhor entendesse. Mas com um detalhe, todo aquele valor teria de ser gasto no período de 24 horas, sem acúmulos. É mais ou menos assim que funciona a vida. Cada dia, com seus 86.400 segundos, é uma riqueza que o homem tem à disposição. Mas o tempo passado não volta.

Cada dia é um novo ciclo de vida, um novo presente que Deus concede a seus filhos. Não há ser humano no mundo que saiba exatamente quantos dias terá à disposição. Alguns têm muitos deles, chegando a 80, 90, 100 anos. Outros partem mais cedo, às vezes inesperadamente. De qualquer forma, o principal é que sejam dias bem vividos, que a pessoa saiba investir bem o "capital diário" que é depositado em "sua conta".

Há circulando na internet uma mensagem, de autor desconhecido, que bem exemplifica o valor do tempo:

> Para saber o valor de um ano, pergunte ao estudante que perdeu seus exames; para saber o valor de um mês, pergunte a uma mãe que teve um filho prematuro; para saber o valor de uma semana, pergunte ao editor de uma revista semanal; para saber o valor de um dia, pergunte ao operário que ganha por dia e tem dez filhos para alimentar; para saber o valor de uma hora, pergunte aos amantes que estão esperando para se encontrar; para saber o valor de um minuto, pergunte a quem perdeu o avião; para sentir o valor de um segundo, pergunte a quem acaba de escapar de um acidente; para saber o valor de um milissegundo, pergunte a um atleta de natação que não conseguiu se classificar para as olimpíadas.

Por isso, cada segundo de vida é importante e deve ser bem aproveitado. Não quer dizer que, para aproveitar bem, o ser humano tenha que viver exclusivamente em função de trabalhar. Também não é o caso de entrar em desespero e, na ânsia de aproveitar ao máximo, viver sem nenhum compromisso ou responsabilidade. Nesse caso, o equilíbrio é fundamental. Saber dosar bem o tempo dedicado ao trabalho, ao lazer, à família e aos amigos é uma maneira de se aproveitar o tempo com qualidade. Significa viver com equilíbrio, aproveitando ao máximo os bons momentos e superando com garra os desafios.

Lembre-se sempre: sua existência é o maior presente que você recebeu. Procure administrar bem seus momentos. Viva com intensidade e responsabilidade. Não deixe que o medo impeça você de viver intensamente. Mantenha sempre um espírito de gratidão e leveza diante de sua história.

17. Dar o passo do tamanho da perna

Onde é que há gente no mundo?
(Álvaro de Campos)

Você já reparou que às vezes nós nos cobramos demais. Eternamente insatisfeitos, somos capazes de nos achar as piores pessoas do mundo. Essa situação faz lembrar o *Poema em linha reta*, de Fernando Pessoa, sob o heterônimo de Álvaro de Campos. Indignado consigo mesmo (por se saber cheio de defeitos e limitações) e com os outros (porque fazem questão de se mostrar como pessoas perfeitas), o poeta dispara:

Nunca conheci quem tivesse levado porrada.
Todos os meus conhecidos têm sido campeões em tudo.

E eu, tantas vezes reles, tantas vezes porco, tantas vezes vil,

eu tantas vezes irrespondivelmente parasita,

indesculpavelmente sujo [...]

Toda a gente que eu conheço e que fala comigo

nunca teve um ato ridículo, nunca sofreu enxovalho,

nunca foi senão príncipe – todos eles príncipes – na vida...

Ó príncipes, meus irmãos,

Arre, estou farto de semideuses!
Onde é que há gente no mundo?

Tomados por uma autoimagem altamente negativa, passamos a viver em um mundo de imaginação. As moças começam a pensar que se fossem mais altas e magras poderiam ser grandes modelos. Já os homens sonham em ser galãs de cinema ou grandes jogadores de futebol, por exemplo. Mas como na realidade nem todo mundo é um Ronaldinho Gaúcho ou uma Gisele Bündchen, o jeito é se conformar com o que se tem.

É certo que todo mundo gostaria de ser melhor, mas também é verdade que todo ser humano tem qualidade. Basta descobrir e trabalhar. Para quem se cobra demais, existe uma frase que pode ajudar muito: "Se você não consegue fazer tudo que quer, faça tudo que consegue". Vamos dar um passo de cada vez. As grandes mudanças não acontecem de repente, mas devagar. E por isso, aos poucos, com força de vontade e dedicação, você vai notar a diferença.

Ame a si mesmo, do jeitinho que você é. Em vez de ficar lamentando pelo que você não tem ou não é, agradeça a Deus o dom de sua vida. É o maior presente que você poderia ter recebido. Lembre-se também de todos aqueles seus entes queridos que já partiram, o quanto de amor você deu a eles e o quanto deles recebeu. E saiba, você é muito especial. Pense nisso hoje e, se estiver meio desanimado, não se deixe abater. Erga a cabeça e "bola pra frente".

18. O Ensinamento das Ondas do Mar

Nada é permanente, exceto a mudança.
(Heráclito)

A vida é cheia de rituais de passagem. Festas de aniversário, formatura, jubileu, casamento servem para marcar alguma mudança, seja ela pessoal, profissional ou religiosa. Todas essas comemorações são muito importantes, mas o verdadeiro sentido delas vai além daquele momento festivo e perpassa toda a vida, no mais simples do dia a dia.

Lembro-me da bela música *Come fa un´onda*, tão conhecida na voz de Lulu Santos a versão em português:

> Nada do que foi será
> de novo do jeito que já foi um dia.
> Tudo passa,
> tudo sempre passará.

A vida vem em ondas...
como um mar
num indo e vindo infinito.

Tudo que se vê não é
igual ao que a gente
viu há um segundo.
Tudo muda o tempo todo
no mundo

Não adianta fugir
nem mentir
pra si mesmo agora.
Há tanta vida lá fora
aqui dentro sempre
como uma onda no mar.

Quem se casa, por exemplo, não demora muito a perceber que, mesmo casado, continua sendo a mesma pessoa, com os mesmos gostos e sentimentos. A diferença está no fato de que, a partir do sim dado à esposa ou ao esposo, a vida passa a ser em comunhão, primeiramente com o parceiro, ou a parceira, e depois com os filhos. Portanto, o casamento não se resume àquele ritual isolado no tempo e no espaço, mas é um estado de vida que precisa ser assumido constantemente no cotidiano.

A formatura também é outro exemplo. Aquela festa emocionante é o fim de um processo de formação, que coincide com o início da carreira profissional, a ser construída passo a passo, dia a dia. Todos são momentos de celebração, de reunião.

De passagem em passagem, o ser humano cresce, amadurece, vive, emociona-se, briga, vibra, acerta, erra, enfim, segue seu caminho, até que chega o momento da passagem definitiva, cujo o dia e a hora ninguém qual é. Essa passagem não representa o fim da vida, mas é sua transformação. Aquele que parecia ser o último passo (ou a passagem derradeira) revela-se como o descortinar de um novo horizonte, onde as barreiras do tempo e do espaço são transpostas. Quem parece estar mais longe, agora, pela fé, encontra-se mais perto, ao lado, ou melhor, dentro do coração e da lembrança de todos aqueles com quem conviveu.

19. O Sol Continua a Brilhar

Enquanto houver sol, ainda haverá.
(Sérgio Britto)

Você talvez esteja passando por um período de dificuldade ou sofrimento. Em sua mente, podem estar surgindo questões para as quais você não tem sequer uma pista de resposta. São dúvidas, decepções, inseguranças, medos, perdas e, mais recentemente, a perda de quem você amava muito.

Se você se encontra nessa situação ou conhece alguém que esteja passando por momentos difíceis, tente imaginar a seguinte história: você está perdido no meio de uma floresta e tem uma lanterna. Chega a noite e, quando você menos espera, acabam as pilhas da sua lâmpada. De repente, você está no meio da escuridão, sem enxergar sequer um palmo diante dos olhos. Nesse caso, qual seria a melhor decisão: sair correndo pelas trevas da floresta ou fazer uma pausa e esperar o dia clarear? Sem dúvida, a segunda possibilidade é a mais sensata. Na vida também é assim. Mesmo que você esteja rodeado de problemas, a luz sempre aparece de novo, mesmo que demore um pouco. O segredo é ter paciência para esperar o dia clarear.

Outra comparação que pode ajudá-lo é a seguinte: o sol é um grande astro que nos fornece calor e luz para que possamos viver. Sem ele, não seria possível a vida no planeta Terra. Você sabe que, mesmo nos dias mais frios e mais nublados, mesmo que pareça escondido a sua vista, o sol continua lá, mantendo você e todos os seres humanos aquecidos e iluminados.

Agora compare sua vida diante de Deus: foi ele quem lhe criou, quem lhe chamou à existência. Ele permanece com você, a seu lado. Mesmo que nuvens assustadoras cubram sua visão, Deus permanece no mesmo lugar, junto a você, protegendo, cuidando, sofrendo junto com você se necessário for.

A esse respeito, existe uma bela composição, de Sérgio Britto, gravada pelo grupo Titãs, chamada *Enquanto houver sol*.

> Quando não houver saída,
> quando não houver mais solução
> ainda há de haver saída
> nenhuma ideia vale uma vida...
>
> Quando não houver esperança,
> quando não restar nem ilusão

ainda há de haver esperança
em cada um de nós,
algo de uma criança...

Enquanto houver sol,
enquanto houver sol
ainda haverá.
Enquanto houver sol,
enquanto houver sol...

Quando não houver caminho
mesmo sem amor, sem direção
a sós ninguém está sozinho
é caminhando
que se faz o caminho...

Quando não houver desejo,
 quando não restar nem mesmo dor
ainda há de haver desejo
em cada um de nós
aonde Deus colocou...

Numa situação de dificuldade, mantenha sempre a esperança e tenha a certeza de que para todo problema existe uma saída. Nenhum mal dura para sempre. No mais, o melhor é cultivar a paciência. Mais cedo ou mais tarde o sol voltará a brilhar em sua vida.

20. O Tempo da Graça: Agora

Só existem dois dias no ano em que você não pode fazer nada pela sua vida: ontem e amanhã.
(Dalai Lama)

Nessa frase simples, mas cheia de conteúdo, Dalai Lama, importante líder religioso do Oriente, quis chamar a atenção para a necessidade de o ser humano viver o presente com intensidade. O passado e o futuro fazem parte da alma humana, como recordação ou imaginação. O passado não pode ser modificado e o futuro ainda não chegou. Por isso, toda a atividade humana deve estar ligada ao presente, tempo no qual se pode tornar concreta qualquer ação.

É no aqui e no agora que o homem deve buscar sua realização, fazendo bem aos semelhantes e a si mesmo. O presente é o tempo do amar, do servir, do respeitar, do relacionar-se, do viver. Nele também é que passamos pelas dificuldades e desafios, sofrimentos que nos tornam mais fortes à medida que os superamos.

Guardar boas lembranças do passado, trazer bem próxima ao coração a presença de nossos entes queridos que já se foram, sonhar com um futuro melhor, refletir, dialogar, planejar, tudo isso é de fundamental importância e pode ser o combustível que dá movimento à vida. Recordações, sonhos e projetos são temperos que tornam o presente mais emocionante.

Não deixe para viver amanhã, nem adie demais seus planos. Entre em ação a partir de agora. Seja você mesmo o ator principal de sua vida. Trabalhe, reze, ame, divirta-se, faça o bem para valer. Não tenha medo.

21. Errar é Humano; Perdoar é Divino

É perdoando que se é perdoado.
(Oração de São Francisco de Assis)

Vamos falar um pouco sobre o perdão. Todo mundo já necessitou na vida tanto perdoar quanto ser perdoado. Por isso, não há quem não reconheça a importância do perdão. Fica então a pergunta: se todos reconhecem que dar e receber perdão é fundamental para a felicidade humana, por que na hora de perdoar há gente que oferece tanta resistência? Às vezes nós vendemos caro o perdão. Diante de uma ofensa, ingratidão ou algo que nos magoou, temos imensa dificuldade de perdoar, mesmo quando a pessoa que errou conosco vem pedir desculpas.

Há casos em que familiares próximos, como pai e filho ou irmãos entre si, ficam anos a fio sem se falar, porque nenhum dos dois tem coragem de se dirigir ao outro e pedir desculpas. Agora vamos refletir: o que se ganha com tamanha dureza para perdoar? Nada. Ao contrário, fica-se remoendo aquele sentimento ruim, o que pode, inclusive, transformar-se em algum problema físico, como úlcera ou pressão alta, por exemplo.

Quanto sofrimento seria evitado se, em um caso como esse, ambas as partes tivessem a humildade de pedir e a generosidade de oferecer o perdão. Perdoar é um ato que não desmerece em nada a pessoa que o pratica. Pelo contrário, faz um grande bem a ela. Da mesma forma, pedir perdão não significa, em hipótese alguma, humilhação para quem o faz. Trata-se de uma bela oportunidade de recomeço.

Por isso, tenho uma proposta a lhe fazer: que tal promover em sua vida uma grande liquidação de perdão? Mais ou menos como queima de estoque em loja de 1,99. Tente ser generoso em perdoar a quem lhe magoou. Pode ser parente próximo ou distante, esposo ou esposa, amigo, vizinho, conhecido, colega de trabalho, não importa. Perdoe também a si mesmo. Não se cobre demais.

Se for o caso, dê de graça o perdão, porque nesse caso a matemática funciona ao contrário. Quanto mais perdão se dá, mais se consegue ganhar em qualidade de vida, em paz de espírito, em consciência tranquila. Não tenha medo de ser generoso.

E outra coisa: caso seja necessário, vista as sandálias da humildade para também pedir perdão. Quem sabe a pessoa a quem por acaso você tenha magoado também não esteja fazendo a mesma liquidação?

Tente fazer este exercício: procure se lembrar das pessoas a quem você precisa pedir perdão ou perdoar. Depois, tome coragem e entre em contato com ela. Seja humilde e procure por meio do diálogo resolver as diferenças que afastaram vocês. Na mesma hora, você vai sentir-se como se tivesse tirado um enorme peso de suas costas. A felicidade às vezes custa tão pouco. Não deixe de ser feliz por causa do orgulho e da mágoa. Perdoe sempre e, quando for preciso, também peça perdão.

22. As Fases da Vida

*Aquilo a que a lagarta chama fim do mundo,
o homem chama borboleta.*
(Richard Bach)

Numa famosa história da mitologia grega, a Esfinge, uma criatura com corpo de leão e cabeça de gente, pergunta a Édipo: Que criatura pela manhã tem quatro pés, pela tarde tem dois e à noite tem três pés? Segundo a lenda, caso Édipo errasse a resposta, seria morto. Porém, o personagem pensou um pouco e respondeu: é o homem, que quando bebê engatinha, quando adulto anda sobre duas pernas e, na velhice, se move com o auxílio de uma bengala.

Édipo acertou e se livrou da pena de morte. Essa pequena passagem pode trazer um bonito ensinamento. Ela mostra que a vida tem suas fases. Ao homem, cabe aceitar bem essas etapas e tentar vivê-las da melhor maneira possível. Toda idade tem sua beleza própria.

Por isso, nada melhor do que deixar a criança ser criança, sem preocupação de se antecipar a adolescência. É a fase de brincar, perguntar, correr, cair, levantar. Geralmente, depois de adultas, as pessoas sentem uma saudade bonita e confortante do tempo da infância.

A fase adulta, com todas as suas responsabilidades, pode também ser vivida de maneira muito feliz. Saber conjugar trabalho, lazer, vida em família e vida social pode dar a dose certa de uma maturidade bem aproveitada.

Na velhice, as grandes preocupações já ficaram para trás. A força, a rapidez, é verdade, não são mais as mesmas da juventude. Mas essa é a hora de aproveitar os netos, de descansar. É importante, nessa etapa, manter a mente sempre ocupada.

É lógico que na história pessoal de cada um todas essas fases apresentam suas dificuldades. Há também as imprevisibilidades, como as partidas inesperadas de pessoas que amamos. O certo é que cada etapa da vida tem sua beleza e seus desafios, diante dos quais são necessárias boas doses de perseverança, otimismo e coragem.

23. O Sofrimento e suas Diferentes Faces

O irmão que sofre é parte da gente que dói.

Todos nós sabemos que o sofrimento é fruto da condição humana. Já dizia certa vez um filósofo que o homem pode muito, mas não pode tudo. É nessa impotência que habita o sofrimento, que aparece em forma de doença, desemprego, briga, perda de alguém ou outra dificuldade que a vida pode impor a qualquer pessoa. Diante dessas situações, a fé e a perseverança são grandes aliadas, pois fornecem força a quem está sofrendo.

O sofrimento se mostra de diferentes formas. Às vezes ele é silencioso, outras vezes é solidário, quando sofremos juntos a dor de quem amamos. Há momentos em que sua ação é vagarosa e tem ocasiões em que ele aparece de repente, com grande força e violência.

Além dessa espécie de sofrimento inevitável, nós também nos impomos algumas dores que poderiam ser evitadas. Parentes próximos que ficam anos sem se falar por causa de uma pequena briga é um exemplo dessa situação. Nesse caso, a mágoa persiste por causa da teimosia das partes envolvidas. O diálogo transparente e fraterno com certeza eliminaria esse sofrimento.

Existe ainda o sofrimento que impomos aos outros, consciente ou inconscientemente. Ele ocorre quando agimos com egoísmo e ingratidão, quando olhamos somente para nosso umbigo e esquecemos que há um mundo girando ao redor de nós. Ninguém gosta de sofrer, ainda mais se sofre injustamente, por causa de luxo ou capricho de alguns. Há também algumas pessoas que costumam sofrer por antecedência. Geralmente fazem tempestade em copo-d´água diante de um problema e gastam uma enorme quantidade de energia em preocupações desnecessárias.

Conforme já dissemos, o sofrimento é parte da vida. Caso você esteja passando por alguma dificuldade inevitável, desejo muita força e coragem, com todo meu respeito e solidariedade. Já quem se martiriza por causa de motivos sem propósito, deve procurar fazer uma revisão de vida. Às vezes a solução do problema está mais perto do que se imagina. Vamos deixar de sofrer desnecessariamente.

23. O Patrimônio que Permanece

Você sabe qual é a coisa mais valiosa que uma pessoa pode construir durante a vida? Se você pensou em um palácio, uma fortuna, um avião, um iate ou qualquer coisa material, errou! O maior tesouro que o ser humano tem é o próprio nome e, junto com ele, a consciência tranquila e a certeza de ter vivido honestamente.

Ter um bom nome não significa nascer em berço de ouro. Também não é ficar o tempo todo preocupado com o que os outros estão pensando sobre você. Mas se trata de uma disposição generosa em fazer o que tem de ser feito, ou seja, fazer o bem.

Todo mundo sabe que os bens materiais, o status e o poder são passageiros. Afinal, quando a pessoa parte desta vida não leva nada. O que fica é apenas o carinho que ela foi capaz de distribuir, além do bem que ela fez. E tudo isso é lembrado por meio do nome que essa pessoa construiu durante sua existência. O nome é tão importante que, quando se vai alguém que amamos, temos logo a preocupação de providenciar uma lápide, onde vem escrito o nome da pessoa amada, a data de nascimento e de partida e geralmente alguma frase ou pensamento que fale sobre saudade.

Mesmo que a pessoa não deixe grande herança material, seu nome honrado e as boas lembranças que ela deixa naqueles que ficam formam um patrimônio de valor inestimável. Quem toma consciência desse fato geralmente vive mais feliz, porque sabe que está construindo algo que vale a pena. Cuide com muito carinho de seu nome, pois esse é o maior bem que você possui. Não deixe que esse tesouro se perca sem mais nem menos.

24. Também na Tristeza, Otimista Até o Fim

> *Eu sei, eu sei*
> *que a vida devia ser*
> *bem melhor e será.*
> *Mas isso não impede*
> *que eu repita:*
> *é bonita, é bonita*
> *e é bonita...*
> (Gonzaguinha)

A música *O que é, o que é?* é um verdadeiro hino ao otimismo, à arte do bem. Em seu refrão, o cantor e compositor Gonzaguinha escreve:

> Viver!
> E não ter a vergonha
> De ser feliz.
> Cantar e cantar e cantar
> A beleza de ser
> Um eterno aprendiz.

De fato, uma das coisas mais fascinantes da vida é a possibilidade de sempre se aprender algo novo. Tudo se aprende: a amar, a chorar, a ser pai ou mãe, a ser avô ou avó, a lidar com as adversidades da vida.

A criança aprende a amarrar o sapato, o adolescente aprende a lidar com o não que levou da menina pela qual estava apaixonado e o jovem profissional aprende que no mercado de trabalho as coisas nem sempre são como ele pensava. Seja por uma conversa com uma pessoa mais experiente, pela leitura de um livro ou até mesmo por meio das dificuldades superadas, aprender é sempre uma bênção.

Já pensou como seria desanimador se algum ser humano chegasse ao ponto em que não tivesse mais nada para aprender? Certamente isso entediaria as pessoas, pois não haveria mais nada de novo que ela pudesse conhecer. Não importa a idade. Na escola da vida ninguém é o tempo todo aluno ou professor. Todo mundo sempre tem algo a aprender e a ensinar.

Não deixe nunca de ser aprendiz, mesmo que esteja passando por períodos de tristeza, angústia e dor. Aprenda o máximo que puder e tente ver as coisas como o músico Gonzaguinha:

> Eu sei, eu sei
> Que a vida devia ser
> Bem melhor e será.
> Mas isso não impede
> Que eu repita:
> É bonita, é bonita
> E é bonita...

25. Duas Plantas que Ocupam o mesmo Solo

Alegria e dor crescem sempre no terreno do amor.
(Padre Emilio Mancini)

Você já deve ter percebido que na vida alegria e dor andam juntas. É só olhar para o exemplo de um casal feliz em sua união. Eles se amam, eles se complementam, constroem uma vida juntos, com filhos, netos, parentes e amigos. São cúmplices, amantes e amigos. O problema é que um dia eles vão ser separados fisicamente. Mesmo com toda esperança, fé e certeza no reencontro, essa não deixa de ser uma experiência que gera solidão e tristeza. Agora pense no seguinte: e se os dois, marido e mulher, deixassem de entrar nessa relação por medo do possível sofrimento. Será que seriam mais felizes? Certamente não.

Alegria e dor são ingredientes que fazem parte de qualquer grande momento da vida humana.

Quer alegria maior do que a da mãe quando dá à luz um filho? No entanto é à custa de muito esforço e sofrimento que acontece esse grande milagre da vida.

A sociedade moderna gerou uma mentalidade que tem horror ao sofrimento. Tenta a todo custo eliminar as dores e dificuldades. Quando fracassa, sofre. É lógico que ninguém vai sair por aí em busca de motivo para ficar sofrendo. Isso seria masoquismo. Mas é preciso sim que se tenha consciência de que obstáculos e momentos menos agradáveis também fazem parte da existência. Deixar de cultivar amizades, construir novas relações ou trabalhar no que se gosta pelo simples medo de sofrer não é o caminho mais indicado para a realização.

26. Ir em Busca do Sentido

O que dá sentido à vida é mais importante que a própria vida.

Hoje há muita gente que tem dificuldade em encontrar um sentido para a própria vida. São pessoas que não têm ânimo e vivem tristes. Com certeza elas não têm culpa de estar assim, mas uma coisa é certa: mesmo com toda ajuda que venham a receber, a tarefa de encontrar um sentido para a vida é pessoal e intransferível de cada um, mesmo nas maiores situações de dor e perda.

Realmente o ser humano é cheio de dúvidas e perguntas para as quais não há uma resposta imediata. Nesta incerteza reside todo o peso, mas também toda a beleza da existência. A vida é um grande mistério que começa desde quando UM entre milhões de espermatozoides se encontra com o óvulo para gerar um novo ser humano. A partir desse momento, inicia-se uma nova história, que será marcada por glórias e sofrimentos, não se sabe em que proporção.

Neste trajeto acidentado que todo mundo deve percorrer, a pessoa precisa encontrar marcos, setas, indicações, ou seja, um sentido que a ajude a caminhar. O texto bíblico de Jr 31,21 é iluminador: "Põe marcos de estrada, finca estacas para te orientar, presta atenção em tua estrada, no caminho por onde passas". O importante é não ficar parado. Mesmo que às vezes a sinalização esteja meio obscura ou o sentido pouco claro, é necessário que se continue andando. Toda pessoa é uma riqueza e por isso cada um é o responsável primeiro de dar valor a si próprio. Até mesmo diante das maiores dores, é possível se encontrar um novo sentido.

Se você está com dificuldade em encontrar um sentido para sua vida, tente ampliar seus horizontes. Procure conhecer pessoas novas ou praticar atividades diferentes que podem auxiliá-lo no reencontro de seu caminho. Tenha fé, reze bastante, não canse de tentar. Crie novos sonhos e metas e não deixe a luz da esperança que brilha dentro do seu coração se apagar. Você é muito importante. Tenha certeza disso.

27. Um Jardim Bem-Enfeitado

O segredo é não correr atrás das borboletas.
É cuidar do jardim para que elas venham até você.
(Mário Quintana)

Essa frase é de um brilhante poeta gaúcho falecido em 1994. O jardim pode ser nossa vida; as flores, as relações que construímos; e as borboletas, todo carinho, atenção e respeito que recebemos daqueles que convivem conosco.

Cuidar bem do jardim significa fazer o bem ao próximo, construir relações bonitas, que enfeitam nossas vidas como flores em um jardim bem cuidado. Muitas vezes ouvimos dizer que cada um colhe o que planta. Isso significa que os maiores responsáveis por tudo de bom ou mau que recebemos dos outros somos nós mesmos.

É bem verdade que, às vezes, mesmo cuidando com carinho do jardim, somos surpreendidos não por borboletas, mas outros bichos estranhos (injustiça, mentira, ingratidão), que, ao

– 81 –

invés de enfeitar, deixam nossa vida mais triste. O importante é ter sempre a certeza de que estamos cuidando bem de nosso jardim, e mesmo que demore um pouco as borboletas sempre vêm a nosso encontro.

28. A Bênção da Generosidade

*Se alguém quiser te processar para
tirar-te a túnica, deixa-lhe também o manto.
Se alguém te obrigar a carregar-lhe a mochila por um
quilômetro, leve-a por dois. Dá a quem te pede e não
voltes as costas ao que deseja empréstimo.*
(Mt 5,40-42)

Uma das qualidades mais bonitas do ser humano é a generosidade. Pessoas generosas geralmente são encantadoras porque sabem demonstrar carinho e preocupação com seus semelhantes. Estão sempre dispostas a dar a mão a quem precisa, seja conhecido ou não.

Quem é generoso não costuma prender-se muito aos bens materiais, mas compreende que as coisas existem para servir às pessoas, e não o contrário. Geralmente, a generosidade caminha de mãos dadas com a gratidão, de maneira que o generoso toma cada vez mais consciência de que sua vida é um presente de Deus, pelo qual ele é eternamente grato. Todo mundo já deve ter tido a graça de conviver com uma pessoa assim e sabe o quanto é agradável e gratificante esse contato.

A generosidade, como as outras virtudes, proporciona bons momentos para quem a pratica. Pode não dar lucro, mas com certeza vai trazer sorrisos, abraços emocionados e muitos outros gestos de gratidão que dinheiro nenhum seria suficiente para pagar. Sem dúvida, toda ação generosa é um investimento para a eternidade. Nós passamos, somos finitos. Mas a generosidade, que é filha do amor, esta fica para sempre, vai para além de nossa existência e rompe as barreiras do tempo e do espaço.

Outra vantagem da generosidade é que ela pode ser praticada em qualquer tempo e lugar, até mesmo nas atividades mais simples, como dar um copo-d´água a alguém que está com sede. Sem sombra de dúvida vale a pena ser generoso.

Nossa sociedade, do individualismo, da competição, do cada um por si, carece muito de gestos e atitudes generosas. Não pense duas vezes antes de praticar um ato de generosidade. O maior beneficiado será você mesmo.

29. A Medida do Amor sem Medida

Qualquer maneira de amor vale a pena.
Qualquer maneira de amor valerá.
(Milton Nascimento)

Não faz muito tempo, li uma reportagem que me deixou profundamente emocionado e por isso quero partilhar com você. Falava sobre as "mães de UTI", mulheres que deram à luz, mas nunca puderam pegar seus filhos no colo ou abraçá-los porque essas crianças estão internadas desde que nasceram, por conta de diferentes problemas de saúde.

São situações que se arrastam às vezes por muitos anos. Dia após dia as "mães de UTI" estão lá, acompanhando de perto o drama de seus rebentos, à espera do esboço de um sorriso, de um piscar de olhos ou de qualquer pequeno movimento. Deixam de lado trabalho, diversão, lazer e são capazes de colocar a própria vida em segundo plano.

O que elas querem é muito simples. Pegar seus filhos no colo, sair para comer pipoca, correr em um jardim, essas coisas que muitos deixam de fazer porque dizem não ter tempo.

Eu admiro a força dessas mulheres. Toda luta delas é a expressão mais pura do amor gratuito, que ama por amar, sem esperar nada em troca. Quero deixar minha homenagem a essas verdadeiras heroínas do silêncio. Estendo também meu sincero abraço às milhares de mães (e pais) que cuidam com muito amor de seus filhos especiais. Que possam sempre ter muito apoio e compreensão de seus familiares e amigos e que Deus esteja ao lado delas para ampará-las nessa verdadeira batalha. Com muito carinho e gratidão, vamos admirar esse belo exemplo das "mães de UTI".

30. Lágrimas que Lavam a Alma

O cabra pode ser valente e chorar
Ter meio mundo de dinheiro e chorar
Ser forte que nem sertanejo e chorar
Só na lembrança de um beijo chorar
(Flávio José)

Você sabia que chorar faz bem? Essa história de que choro é coisa de gente fraca, manteiga derretida, não passa de uma grande conversa fiada. Quando o ser humano nasce, sua primeira ação é chorar. Depois, quando criança, o choro é seu grande mecanismo de comunicação e defesa. Por isso a criança chora quando está com sono, com fome, com frio ou com dor.

Com o passar do tempo e a chegada da idade adulta, o ato de chorar vai aos poucos se relacionando às manifestações de alegria e tristeza. No caso da tristeza, o mais comum é que a pessoa chore nas situações diante das quais ela é impotente, como a partida de um familiar, por exemplo. Nos momentos de felicidade, o choro serve para extravasar toda a euforia que tomou conta do coração de quem chora.

De qualquer forma, chorar faz bem. As pessoas que evitam o choro a qualquer custo, com o objetivo de se mostrarem imbatíveis, podem desenvolver problemas de saúde com origem emocional, como pressão alta, problemas de estômago ou dores na coluna, por exemplo. Não fique com vergonha de chorar. Os homens também não devem ir atrás daquela bobagem de que homem que é homem não chora. Isso é pura invenção de algum machista desocupado. Lembre-se sempre de que chorar faz bem à saúde.

31. Nos Braços do Bom Pastor

Tu és, Senhor, o meu pastor!
Por isso nada em minha vida faltará.
(Frei Antonio Fabretti, OFM, cf. Sl 23)

Você já reparou que toda situação limite, seja ela de perda ou de doença, leva o ser humano a olhar com mais atenção para dentro de si mesmo? É como se nessas situações houvesse uma força maior sugando a pessoa para dentro dela mesma e a obrigando a responder a algumas perguntas fundamentais.

O trabalhador que fica sem o emprego inevitavelmente pergunta a si próprio: "Estou desempregado, o que será do meu futuro?" Da mesma forma, quem perde a esposa ou o marido, pai, mãe, enfim, um ente querido, olha para o próprio coração e diz: "Como vai ser minha vida sem essa pessoa?" Nesses momentos cruciais é que cada um é desafiado a buscar forças para além do que achava ter.

A fé em Deus, nesses casos, é um elemento fundamental para ajudar na superação. A pessoa que acredita na bondade e na misericórdia de Deus consegue maior apoio para se reerguer depois de uma perda. A presença de amigos também é outro fator que ajuda a suavizar o sofrimento. De qualquer forma, cabe a cada um encontrar a resposta para essas perguntas que surgem. Mesmo que os outros possam ajudar, o compromisso de dar a volta por cima é individual e não há como transferi-lo.

32. A Arca do Tesouro

Em todas as lágrimas há uma esperança.
(Simone de Beauvoir)

Sem dúvida, um dos momentos mais difíceis para uma família é a perda de um ente querido. Trata-se de uma situação que não tem retorno. É como se houvesse um decreto determinando que aquela pessoa amada nunca mais será vista. Ninguém mais pode conversar com ela, estar perto dela ou até mesmo brigar com ela. Agora resta a saudade. É uma grande dor, um sofrimento cortante.

No entanto, essa ruptura, à primeira vista definitiva, pode receber um significado novo a partir de uma experiência de fé, que costuma ser grande aliada nesses momentos de intensa dificuldade. Para os cristãos, a morte não é o fim da existência, mas uma passagem para a vida plena e feliz, uma vida transformada. Quem olha a morte sob esse prisma, ainda que sinta muita saudade, enche-se de esperança viva e passa a ter no coração o conforto de uma alegre certeza de reencontro, em Deus, na vida eterna.

Da pessoa querida ficam as lembranças. O coração humano é uma arca de tesouros, e, entre os artigos mais valiosos que ele carrega, estão as boas recordações que a pessoa guarda de seus entes queridos que já se foram.

A morte é realmente um mistério. É uma certeza que todo mundo tem, mas mesmo assim não é fácil lidar com ela. Você, que perdeu um ente querido, receba meu abraço especial e meus sinceros sentimentos de solidariedade. A melhor homenagem que você pode fazer a essa pessoa que você tanto amava é continuar vivendo de cabeça erguida.

33. A Importância de Olhar para Dentro de Si

A rosa não tem porquê.
(Angelus Silesius)

A partida de alguém que amamos pode também ser um convite a uma autorrevisão de vida. Somos convocados a reaprender a viver, agora de maneira diferente, sem a presença física daquele que amamos, mas com a proximidade viva dessa pessoa, que conquistou espaço cativo e definitivo em nosso coração.

E, por falar em reaprender, você já pensou o quanto a natureza pode nos ensinar? Uma flor, por exemplo, pode nascer linda, colorida e formosa, às vezes no meio do mais lamacento pântano, na rachadura de um muro em ruínas ou em lugares mais desfavoráveis. Já pensou se nós fôssemos como essa flor? Ao invés de ficarmos lamentando o ambiente a nossa volta, por pior que ele seja, nós nos preocuparíamos em dar o melhor de nós mesmos para, até nos lugares mais ingratos, revelarmos a beleza e a dignidade da vida.

A chuva também pode nos ensinar. Quando cai, conforme diz o Evangelho, vem sobre ricos e pobres, justos e injustos. Refaz as nascentes, enche os rios, irriga a terra. E nós, conseguimos ser tão generosos e gratuitos quanto a chuva? Somos capazes de fazer o bem sem esperar nada em troca, tratando a todos de maneira indistinta, com carinho e respeito?

A abelha também traz uma mensagem interessante. Vive em grandes comunidades, trabalhando duro. Se necessário, sacrifica a própria vida para defender sua colmeia. Depois que a abelha dá sua picada, ela morre, pois seus órgãos vitais ficam junto com o ferrão, presos na pele da vítima. E nós, somos capazes de nos consumir por valores que julgamos fundamentais? Temos coragem para investir a vida em um ideal que valha a pena?

Vamos procurar aprender mais com a natureza. Com certeza ela tem belas lições a nos ensinar!

34. O Milagre Invisível

*Quando nada acontece,
há um milagre que não estamos vendo.*
(Guimarães Rosa)

Amigo leitor, você muitas vezes já deve ter reclamado da própria vida. Certamente também já pensou que ela seja meio sem graça e sem grandes emoções. Ao se comparar com gente da mesma idade que você, pode ter sido tomado por um grande sentimento de inferioridade, achando que outras pessoas com o mesmo tempo de vida que o seu já fizeram muita coisa e você quase nada.

Quando esse tipo de ideia começar a tomar conta de seus pensamentos, lembre-se da frase do escritor Guimarães Rosa: "Quando nada acontece, há um milagre que não estamos vendo". Há, no imaginário coletivo, uma forte tendência em se considerar milagres apenas fatos espantosos, inexplicáveis, fora do comum. Porém, se você fizer uma análise mais cuidadosa de sua própria vida, vai perceber que ela também é um grande milagre. Imagine a quantidade de células, tecidos e órgãos que precisam funcionar em harmonia para que você esteja vivo.

Esse pode ser um dos muitos exemplos de milagres que acontecem diariamente e dos quais você nem mesmo se dá conta. Não se esqueça de que nascentes quase invisíveis no meio da floresta dão origem a imensos rios caudalosos. Portanto, tenha muito amor por sua vida, do jeito que ela é. Seja grato pelas conquistas que já teve, mesmo que elas não sejam tantas assim. Sinta-se um presenteado pelo fato de viver.

35. De Nascimento em Nascimento

Viver é nascer a cada instante.
(Erich Fromm)

Ao contrário do que se pensa, o nascimento não é um momento único na vida das pessoas. Nascer não é apenas deixar o conforto e o calor do ventre materno para mergulhar-se em um mundo de desafios e possibilidades, mas um movimento que se repete durante toda a vida, a cada novo acordar, a cada nova experiência.

Todo momento de passagem é um novo nascimento. E é por isso que as pessoas têm o costume de festejar aniversário, formatura, casamento, bodas etc. São passagens, mudanças que representam de fato um nascer de novo, para situações inéditas, desafios que trazem a pessoa para um mundo até então desconhecido, para o qual ela nasce.

O rapaz e a moça que se casam, por exemplo. Ao se unirem, ambos nascem para a vida a dois, são recém-nascidos na vida de casados, com sonhos e projetos em comum. Quando vêm os filhos, a mesma coisa. Além da criança, pai e mãe nascem cada vez que uma nova vida vem ao mundo.

Interessante é notar que, na dinâmica do nascimento, quem nasce nunca tem ideia clara do que lhe espera pela frente. Há sempre a sombra da incerteza, que causa um pouco de insegurança, é verdade, mas que também abre um imenso e maravilhoso leque de possibilidades.

De nascimento em nascimento, a vida vai se dando. Até que, finalmente, se chega ao derradeiro nascimento, o qual São Francisco denominava "nascimento novo". Mais uma vez quem nasce não faz a mínima ideia do que lhe espera. Sobre esse nascer definitivo pouco se sabe. As garantias que existem são fornecidas pela fé. Se acreditamos em Deus, que em todo o nascimento se faz presente, nesse último nascimento é que Ele não abandonará um filho seu, mas lhe dará totais condições para gozar uma vida plena e feliz, livre de todos os males e sofrimentos.

36. A Bela Lição de quem nos Ama

A perda de um ente querido geralmente vem acompanhada por outras perdas. Há um vazio interior muito grande, um espaço de amor e afeto que outrora era preenchido por aquele que se foi e agora se transformou em uma espécie de vácuo que suga o indivíduo para dentro de si mesmo. Deixar de conviver com alguém que se ama é uma renúncia que exige muito, e uma das principais exigências dessa perda é a de ressignificar a própria vida, ou seja, buscar no íntimo do coração razões para se continuar seguindo em frente.

Nessa árdua tarefa de se recobrar o sentido da existência, o Mestre Jesus tem valorosos ensinamentos a oferecer. Um dos mais belos está na parábola do filho pródigo, que alguns também denominam de parábola do pai misericordioso.

O pai bondoso, na parábola, é o Deus de misericórdia, cuja face Jesus veio mostrar ao mundo. No entanto, essa história também ilustra com beleza e propriedade as grandes possibilidades do ser humano na lida com seus semelhantes.

Na caminhada da existência, na busca do mais profundo de nossa verdade, somos capazes de assumir esses diferentes papéis descritos por Jesus. Por muitas vezes agimos como o filho mais novo: imaturo e sedento de novas aventuras. Não refletimos muito sobre as consequências de nossos atos e com frequência "trocamos os pés pelas mãos". Magoamos quem está próximo de nós, agimos com ingratidão e inconsequência.

Outras vezes, assumimos o papel do filho mais velho. Buscamos, sim, cumprir as regras, agir com prudência e fidelidade. No entanto, por causa dessa atitude correta, nós nos julgamos melhor que os outros e passamos a condená-los e a abandoná-los à própria sorte, por causa de algum erro que possam ter cometido. Com facilidade deixamos de lado a misericórdia, o amor e o perdão.

No entanto, somos também capazes de assumir a postura do pai. Inspirados em Deus, que nos criou para a realização plena e a felicidade, somos generosos, pacientes e bondosos. Conseguimos estender a mão a quem cai e somos capazes de ajudá-lo a se reerguer. Temos até a nobreza de nos esquecer de nós mesmos para colocar em primeiro plano os mais necessitados. De quanta beleza somos capazes!

Por isso, se você quer e busca conferir um novo sentido à sua vida, mesmo depois de uma perda tão traumática, leia e medite o texto do filho pródigo. Deixe-se invadir por esse divino ensinamento do Mestre. Se tiver vontade de chorar, não economize as lágrimas. Entregue-se de corpo e alma nas mãos desse Deus amoroso, que sempre está de braços abertos esperando a sua volta, para ajudá-lo a conferir de novo um sentido à sua vida.

37. Fazer o Bem sem Olhar a Quem

Outra belíssima página do Evangelho, e com ela encerro nossa reflexão, é a parábola do bom samaritano. Nela, Jesus rompe uma série de preconceitos para nos mostrar que nosso próximo não é alguém que está conosco por meras razões espaço-temporais, mas aquele de quem, por amor, somos capazes de nos aproximar.

Ser próximo, portanto, não é uma postura cômoda de quem fica esperando a iniciativa alheia, mas uma postura fundamental, um princípio de vida para quem decide desalojar-se e viver o amor na concretude da vida.

Você, que passa por esse difícil momento de perda, certamente sentiu o quanto é bom e confortante receber nesta hora o amor gratuito de "bons samaritanos" que se aproximam para trazer carinho, conforto, solidariedade. Também deve ter-se recordado das vezes em que você mesmo precisou assumir o papel dessa figura, que ama por amar, sem exigir nada em troca.

Ao término destas reflexões, quero de novo fazer este convite a você: procure, com todas a forças, reencantar todo amor que você traz no coração. Essa, com certeza, é a melhor homenagem que você pode prestar a seu ente querido que partiu. Não tenha medo, siga em frente e invista sua vida em fazer o bem sem olhar a quem.

Gustavo Wayand Medella, OFM

É Frade da Província Franciscana da Imaculada Conceição do Brasil. Nasceu em Petrópolis, Rio de Janeiro, em 1978. Quando menino, estudou no colégio Bom Jesus Canarinhos, em Petrópolis, onde fez parte do Coral dos Canarinhos. Foi ali que surgiu sua vocação à vida franciscana. Apaixonado por comunicação, em especial pelo rádio, formou-se em jornalismo pela Universidade Federal de Juiz de Fora, Minas Gerais, em 2000, e trabalhou em diferentes veículos de comunicação daquela cidade mineira. Ingressou na vida franciscana em 2002, percorrendo todas as etapas de formação, incluindo os cursos de Filosofia e Teologia. Especializou-se em Comunicação pelo SEPAC/Puc-SP em 2010. Atualmente reside em São Paulo, no Convento São Francisco, no centro da capital paulista.